阆苑仙境话生肖

摄影 潘明清

生肖文化丛书

生肖 你我她

SHENGXIAO NI WO TA

张瀚文 罗修德 著

解读你的运程
解读我的团队
解读她的姻缘

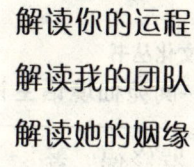

三秦出版社

图书在版编目（CIP）数据

阆苑仙境话生肖/张继军，罗修德著. —西安：三秦出版社，2009.9

（生肖文化丛书）

ISBN 978-7-80736-695-9

Ⅰ.阆... Ⅱ.①张... ②罗... Ⅲ.十二生肖-通俗读物 Ⅳ.K892.21-49

中国版本图书馆CIP数据核字（2009）第168388号

生肖文化丛书
生肖你我她——阆苑仙境话生肖

张继军　罗修德　著

出版发行	三秦出版社
	新华书店经销
社　　址	西安市北大街147号
发行电话	（029）87205121
垂询电话	（0817）6225777
邮政编码	710003
印　　刷	蓝田立新印务有限公司
开　　本	720×1000　1/32
印　　张	36
字　　数	66千字
版　　次	2009年12月第2版
	2011年10月第3次印刷
印　　数	12501-24900套
标准书号	ISBN 978-7-80736-695-9
单册定价	6.50元
全套定价	78.00元
网　　址	WWW.sqcbs.com

引 言

盛唐双奇袁天罡、李淳风晚年退隐于被称为人间仙境的四川阆中，常常一起谈风论水推测后世，并遗存有大量的天象和风水方面的书籍，尤以《推背图》久负盛名。这套小书是风水馆张瀚文馆长和罗修德风水大师根据这些遗存，经过多年的研究编写而成的。

阴历是世界上流传最久的历法。黄帝在位61年时，产生了一道十二宫历法的首轮称为甲子，每一甲子为期60年，由5个分期构成，每个分期12年，我们称为五子运。每一年都以一个"动物符"作标记，我们称之为生肖。关于十二生肖源于何时及其排列，有各种传说，至今难以细考。这类故事，或似开心解闷的笑谈，或似贬恶扬善的寓言,文学成分较浓。

　　古代也有这样的传说,玉皇大帝99岁寿辰时,王母娘娘在阆苑仙境为他举行盛大的宴会,天上人间各路神仙纷纷前来贺寿,最先到来的动物神是老鼠,接着是牛、虎、兔、龙、蛇、马、羊、猴、鸡、狗、猪。玉皇大帝就按这些动物到来的先后顺序分别封以不同的年号,配以不同的时辰,作为对它们的赏赐。从此,"鼠咬天开"后的小老鼠就幸运地坐上了十二生肖的头把交椅,新一轮的五子运也从鼠年开始了。

　　代表生肖的动物符分别与自然界中的木、火、土、金、水五行相对应。五行又按磁场的正负极分为两极,即中国人所谓的阴和阳。

　　在阴历中,每天分为12更,每种动物符代表1更,昼始于子夜11时。阴历中的动物符对人的影响也是十分强烈的。属相中的12种动物分为阴阳两类。鼠、虎、龙、马、猴、狗属阳性,牛、兔、蛇、羊、鸡、猪属阴性。

12种动物属相除了其表示年的五行外,还有其固定的五行与季节对应。猪、鼠、牛为冬天,方位北方,季节色为蓝色,五行属水;虎、兔、龙为春天,方位东方,季节色为绿色,五行属木;蛇、马、羊为夏天,方位南方,季节色为红色,五行属火;猴、鸡、狗为秋天,方位西方,季节色为黄色,五行属金。

古代圣贤说,土生万物,因为它是金、木、水、火四行合一的象征,便不能与十二属相中任何动物相对应。有些算命人士指土为本行,从而以牛代水、龙代木、羊代火、狗代金。

在没有现代方法观测气象的时代,中国人便利用了阴历来预测雨雪到来的季节。时至今日,人们仍然相信阴历的真实可靠性。人们会发现,如果某年五行标志为水,那么这一年很可能会发生决堤或洪灾,这取决于阴阳两极哪个的影响力更强些。

你也许会对春季的第一天感兴趣,皇历中谈到,这一天鸡生的蛋能立起来,请你不妨试一试。如果有缘,你会见证的。阴历中春季到来的这一天称为"立春",通常是阳历2月4日或5日。阴历节气是变化无常的,某些阴历年中也许会出现两次立春的情况,而某些阴历年根本不存在立春。中国的占卜者们称无立春之年为"盲年",因为人们"看"不到春季的第一天。因此,在这样的年份里是忌讳娶亲的。

在这本小书中,你会发现、知晓深藏于你内心和他人内心深处的秘密。这样,你不仅会了解自己,而且还会知道你个人与事业的关系,知晓生活中会发生的事情。

同时这本小书能帮助你从另外一个角度观察自己,观察你宜与周围哪些人组成最好的朋友或团队,观察宜与哪个属相的人与你结合的婚姻是幸福美满的。它会使你理解主宰你的"狗"为什么会偶尔让你表现出急躁，属马的人易变、不安静特点的由来，以及为什么属龙的朋友会盛气凌人、花钱讲排场，还有蛇年出生的人为什么会有多疑的性格。你也许会吃惊地发现，有些工匠善于修理各种各样的东西，是因为他们出生于使他们聪明智慧的猴年。另外你还会看到那些动作迟缓、自信甚至保守的银行家们多是出生在充满自信的牛年。

也许这本书能让你进入理解命运和造化的神秘之门，甚至可以帮你作出重大决定。人生路上你会倾听蛇的机敏语言、寻求羊的温柔与同情心、获得猴的聪明智慧、共享马的快乐、欣赏兔的善交能力、用狗的忠诚交朋友、依靠虎的热情点燃生命之火、以鼠的勇于进取去完成伟业……

愿《生肖你我她》成为你为人处世的指南、美满婚姻的处方、幸福生活的源泉。

春

生肖\五子運	鼠	牛	虎	兔	龍	蛇	馬	羊	猴	雞	狗	豬
水運	甲子	乙丑	丙寅	丁卯	戊辰	己巳	庚午	辛未	壬申	癸酉	甲戌	乙亥
火運	丙子	丁丑	戊寅	己卯	庚辰	辛巳	壬午	癸未	甲申	乙酉	丙戌	丁亥
木運	戊子	己丑	庚寅	辛卯	壬辰	癸巳	甲午	乙未	丙申	丁酉	戊戌	己亥
金運	庚子	辛丑	壬寅	癸卯	甲辰	乙巳	丙午	丁未	戊申	己酉	庚戌	辛亥
土運	壬子	癸丑	甲寅	乙卯	丙辰	丁巳	戊午	己未	庚申	辛酉	壬戌	癸亥

冬　夏

秋

目 录

申 猴 ······ 1

猴 年 ······ 3

属猴人的性格 ······ 5

属猴的儿童 ······ 11

属猴人的起名 ······ 14

属猴人的五种类型 ······ 16

属猴人与时辰的对应关系 ······ 22

属猴人在其他生肖年中的运程 ······ 35

属猴人生月趣解 ······ 48

属猴人生日趣解 ······ 52

属猴人的姻缘 ······ 59

吉祥四季 平安一生 ······ 84

阆中风水博物馆 ······ 86

申 猴

（圆明园十二生肖铜兽首）

猴

我悠悠出没于天宫
机智而灵活
翻滚腾跃如魔幻
真令人赞叹
自信自得无人比
一切出本源
乐哉乐哉无所求
我是——猴

猴年

年年有余

猴年利于任何工作的开展。这年支配人们从各方面去尝试想要做的事情,甚至有些人认为不可能实现的冒险举动也会出人意料地取得成功,这一年会出现许多新发明、新创造,各个领域中都将出现改革的新气象。人们的政治、外交、大笔投资、大宗买卖竞争激烈。这一年对每个人来说都是获得机会、施展身手的年头。这一年中不会出现任何的直接冲突,因为猴对自己不讨人喜欢的行为报一笑置之的态度,在很大程度上缓和了与别人之间的矛盾。

我们发现在猴年每个人都想靠自己的才智从竞争对手那里找到好处,谁能获胜,无人说得清,就像左手与右手,到底是哪一只手支配哪一只手,是无法验证的。但是有一点很清楚,这一年是每个人进步很大的一年。这一年中，人们热情高涨，每个人都在随着猴年前进的浪潮向前涌去。

　　这一年人们会凭着猴的幸运去搞投机生意，不是按合同、契约实实在在地实行计划，而是冒险式的打赌。这一年甚至可以为那些总是跟不上发展潮流的、迟钝的人广开进财之门，猴年不给人们准备退路，也不会给人们提供退缩后再向前的机会。如果一个人在这一年采取保守、退却的方式，那么不久他就会断送自己的一切。

属猴人的性格

十二属相中猴与人有着密切的联系，它也代表猿。所以毫不奇怪它为什么带有人的智慧和虚伪。

在中国人心中，猴代表发明家、即兴诗人和善于调动他人积极因素的人，还代表那些狡诈的、有魅力的骗子。属猴的人能够头脑冷静地处理错综复杂的问题、猴是有进取心的人，他们掌握世间很多知识，无论他选择何种职业，将来都能获得极大成功，特别是有能力成为语言学家。他们的一生中没有很强的竞争对手。

不利的一面是，属猴的人有着强烈的自我优越感，他们对别人不很尊敬，总是从自己的利益出发，过多考虑自己的得失，他们会是极端自私自利又极爱虚荣的人。他们由此会产生很强的嫉妒心，当别人有进步或别人有的东西他没有时，这种嫉妒心便不可扼制地表现出来。他们的竞争意识很强，但善于隐藏自己的想法，善于背后制定自己狡猾的行动计划，为寻求生财之道进行周到的谋划。在显示自己的力量方面，其他年份出生的人不能与他们相比。

出生猴年的人是天生的多面手，他们将会成为优秀的演员、作家、外交官、律师、运动员、股票经纪人、教师等。他们是出色的社会活动家，能同任何人往来。

属猴的姑娘神采奕奕，富有自然魅力，不论她们走到哪里，都将欢乐和兴奋带到哪里。很少有人不为她们的勃勃生机和美貌所打动。

她们机智，待人和气，和任何人工作都能合得来，是晚会的组织者，娱乐活动中的活跃人物，待人慷慨大方的女主人。但他们同样具有属猴人的鲜明特征，竞争意识强，善于察言观色、精打细算，从不受别人支配。属猴的年轻妇女喜欢表演艺术，是很出色的表演家。

属猴的姑娘喜欢刺激，但不做徒劳无获的事，她们说话讲究，从不在人面前说些无意义的话，在各种场合都能挑选适当的字眼与人们交谈。她们善于抓住别人的性格特点，用自己的精明去驾驭他们。属猴的姑娘从不轻易舍财，想从她们手中挣钱，只有做得极完善才行，因为她们爱挑剔，对事情要求严格。

属猴的女性穿着整洁入时，对发式特别讲究，她们将自己打扮得潇洒、漂亮。属猴的人皮肤易过敏，她们属于城市里最时髦的一类妇女。

属猴的人一般都有管理财务的能力，富于实践的精神。工业、政治、经济等领域中如果没有这样一些人参与是会受损失的。"猴"的机智在中国神话传说中是出了名的，但一定要注意，你若与属猴人一起共事，必须使他们百分之百地站在你一边，你才能成功。

人们在与属猴人交往时很少有生气的时候，因为他们的精明总给人一种可爱，好像缺

了他们就不行的感觉。他们讲策略,总使自己处在有利的地位。每当他们受到损失,或处于不利地位时,也会策略地在四面楚歌的情况下采取逆来顺受的态度。可谓偃旗息鼓、伺机行事,君子报仇十年不晚。

属猴人具有战略家的特点,从不盲目行事。做事前总要制定几个方案,既要抓住时机来实现目标,又不忘记"狡兔三窟"的道理。

然而,人们在生活中还是需要他们的。比如,属鼠人被他们的机智灵活所吸引,在扩大自己财力的业务中总是汲取属猴的长处。属龙的人定能在属猴人的机敏智慧方面发挥多面手的能力,以提高自己的竞争力。同样,属猪、鸡的人也需要聪明"猴"的协作。

属蛇人却不喜欢与自己性格相仿的属猴人。属虎人要避免插手属猴人的事务,因为他们是属猴人最常攻击的对象。属猴人在竞争中也不要在属虎人面前炫耀,因为属虎人在激怒的情形下,会采取报复手段。

属猴的儿童

属猴的孩子招人喜爱。他们有明亮的眼睛,快活、好动、爱开玩笑喜欢占上风。善于奉迎别人投人所好,能赢得别人的好感得到自己想要的东西。

他们好奇心强,性格、举止常使人捉摸不透。虽然他们一刻也不肯安静,但他们玩起来肯动脑筋。假如他们把新买的玩具拆了,别对他们大发雷霆,这是因为他们不但被玩具的外表所吸引,而且还想把里面滴答作响的原因探个水落石出。那些错综复杂的机械传动装置会使他们惊叹不已,他们会跟在大人后面,拉着大人的衣襟,不停地问这问那,似乎连宇宙也想问个明白。

他们积极向上,并对自己所取得的成绩感到骄傲和自豪,他们会广泛参加各种有兴趣的活动，今天他们研究照片洗印技术，明天也许会自制一台小无线电收音机。他们最大的特点是将精力分散在不同的事物上，而且能够很好地做些事，他们顽皮、好斗，常使用自己的小聪明取笑别人，他们做事很热情、持久，遇到难事，总是一次次尝试，不气馁，直至成功。

属猴的孩子比较自私，不顾他人。当他拿到其他孩子的玩具时，总是津津有味地玩，不让别的孩子一起玩，即使让给其他孩子，也会想出用什么东西交换。大人们应该帮助他们明白生活中需要互相帮助的道理。

有时，你对他们的行为不能忍受，正要大发雷霆时，他们会对你甜甜一笑，诚心诚意地承认自己的错误，并表示下次改正，同时还做出滑稽的样子逗你发笑，此时你就会忘了教训他们的想法，重新宠爱他们了。

属猴的人的起名

取名宜有"木""禾"字,清贵享福,成功发达;有"金""玉""豆""米"字,英俊佳人,多才贤淑,福禄双收;有"田""山""月"字,操守廉正,名利双收,一门鼎盛;有"氵""亻"字,风流乐天,上下皆睦,智勇双全;有"火""石"字,性刚果断或不利家庭;有"口""人""一"字,忌车怕水,不利家庭;有"糸""刀""力""皮""犭"字,多有不顺,不利健康;有"山"字,富安尊荣,福寿兴家。

属猴人的五种类型

金猴——1920年 1980年 2040年

这年出生的属猴人争强好斗、老成世故、做事坚定、有独立性。他们多从事金融保险业，并喜欢独立投资事业，如果他们有了一份固定的工作，也还会寻找其他工作赚钱。他们把钱看得很重，除特殊的必须的投资外，一般不肯轻易拿出钱来。

受金影响使这年出生的人性情激烈讲求效率。他们胸怀大志有抱负。但常常表现得过激、过分挑剔。

这年出生的属猴人性格开朗、对人热情、能关心人，会成为赢得人心的领导者。

当他们情绪不高，不愿与他人共事时，则表现出极度的自傲，除了自己以外，几乎不相信任何人。

总之，他们工作勤勉，勇于实践，但更多的是为自己的利益考虑。

水猴——1932年　1992年　2052年

这年出生的人能与人协作，但要求回报，他们的宗旨是"我为人人，人人为我"。同其他年出生的属猴人相比，他们很容易被激怒，当他们不能获得自己所需的东西时，则表现出烦躁、生气的情绪。

这年所属五行水使他们做事有很强的目的性，但是应该懂得不要早早把自己的意图直接地公之于众。还应注意，从大局着想，做到要有胸襟，应避免小事上斤斤计较，耗费精力。

这年出生的人有创见，鉴别力强，于是他们自信地极力促使别人按照自己的方法办事。

当他们情绪低落时，或饱尝失去方向之苦，此时他们会变得缺少主见、盲目瞎干、差错不断。

木猴——1944年 2004年 2064年

这年出生的人基本能与他人和睦相处,但他们不轻易求人。他们常为自己料理得整洁有序的家和有条不紊的工作感到骄傲。他们不肯轻易闲下心来,并具有很强的开拓精神,他们了解身旁所发生的一切,对于新发明、新设想很有兴趣。木赋予他们渴望了解事情内幕的性格,所以他们总是不断求索,想了解所有的事情。

这些精力充沛的人要做某件事,一定会做得井井有条,他们从不夸大成绩或矛盾,而是很实际地、小心翼翼地将发展道路上的障碍一点点搬掉。

火猴——1956年　2016年　2076年

该年出生的人精力旺盛，他们自然会成为领导人或有创建的人，他们自信心强、说话果断、为人坦诚、对异性有特殊的好感。

火给他们带来无限的精力或创造力，激励着他们不断进取。他们尽力争取领导地位，在自己所从事的工作中施展才干。由于受内心强烈的创造愿望驱使，他们会在工作中与人激烈竞争，甚至不顾遭人嫉恨，踩着他人向上爬。

火猴年出生的人是在属猴人中最有威力的。他们在冒险举动中常幸运地获得成功，他们善于控制他人，有主见，或者说固执，当与人不和睦时，常常大嚷大叫。

土猴——1908年 1968年 2028年

这年出生的属猴人性情温和,可以信赖。但他们冷漠、缺乏怜悯心。

他们希望对自己出众的能力表示钦佩,如果得不到人们的赞赏,他们会愤愤不平。

他们很可能成为有学问的人,或有一技之长的人,即便他们没受过高等教育,也会有很强的阅读力、理解力。他们言语不多,但诚实直率,严于律己,忠于职守。

土的特点决定了他们的性格趋于内向沉稳。除非不得已,他们一般不热衷于娱乐活动。他们对那些所喜爱的人毫不自私地奉献力量。

属猴人与时辰的对应关系

子时出生（鼠时辰）
——午夜 11 时至凌晨 1 时

性格活泼，
抵制不住生活浮华的诱惑，
又不想破费。
这就是与鼠结合后的特点。

丑时出生(牛时辰)
——凌晨1时至3时

做事缓慢但严谨，
可信度高。
受牛的诚实性格的影响，
不会欺骗人。
不经意说出违心之言，
总感到有愧。

寅时出生（虎时辰）
——凌晨3时至5时

此时出生的人受虎的雄威影响，

有力量但过分自信，

对别人的意见置若罔闻，

有时陷入困境，

不愿意采纳别人的意见，

不承认自己的失败。

你我她

卯时出生（兔时辰）

——早晨 5 时至 7 时

做事细致、谨慎，

说话总留有余地，

从不恶作剧。

对别人的评论很敏感，

评论别人时也很谨慎。

辰时出生（龙时辰）
——早晨7时至9时

性格稳重、爱慕荣誉。
在龙的气势影响下，
会出现做事"贪多嚼不烂"的现象。

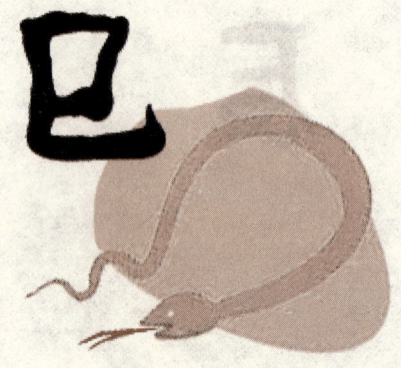

巳时出生（蛇时辰）

——上午9时至11时

聪明的蛇猴相遇，

会使此时出生的人精明强干，

但不稳定，

常常行踪难觅。

午时出生（马时辰）
——上午 11 时至下午 1 时

马猴结合会产生不可驾驭的力量，成为我行我素的人。

未时出生（羊时辰）
——下午1时至3时

浪漫、

充满幻想、

不讲求实际，

总想凭着偶然的机运获得成功，

同时一生希望与人无争。

申时出生（猴时辰）
——下午3时至5时

两猴相遇时出生的人，
　　无忧无虑、
　　灵活自信、
　　不可战胜。

酉时出生（鸡时辰）
——下午 5 时至 7 时

好幻想的鸡遇到富有冒险精神的猴，一定会成功。

戌时出生（狗时辰）
——晚7时至9时

此时出生的属猴人，

可以得到狗的幽默与质朴，

使他们更吸引人。

亥时出生（猪时辰）
——晚9时至11时

爱运动，

慷慨大方，

带有猪的纯朴，

容易同人相处。

做事有韧性。

属猴人在其他生肖年中的运程

鼠　年

这一年对属猴人极有利。
他们会意想不到地获得钱财。
这是他们大显身手的一年，
各方面的问题轻易就能解决。
他们会被重要人物看中，
这一年他们的家庭要增加人口。

牛 年

对属猴人来说,
这是一个喜忧参半的年头。
在经济上会有损失,
心情也不会很愉快。
有可能会被迫远游或受慢性病的折磨,
在各方面都要注意节制,
这一年的家庭生活比较顺利。

虎 年

这是极为动荡不安的年头。
这一年中非常容易受到敌手的伤害，
因而不得不采取逃避的手段，
或者出游、或者为他人工作、
或者借高利贷生活。
这一年容易丢掉职务，
所以应忍耐，
不要出头。

兔　年

对属猴人是个比较有利的年头。
前程在这一年会呈现光彩，
能从别人那里获得意想不到的帮助，
工作和生活不会有大风波，
尽管受前两年的影响，
不敢放手大干，
但事业和经济收入会慢慢恢复，
上升到正常状态。

龙 年

这一年属猴人可以学到很多知识和技巧，
但是在这一年中不会有多少
直接的经济收益，
经济困难及各种问题总像阴云一样笼罩着，
不得不动用过去的存款应急，
在这一年应采取观望、学习的态度，
不应急于行事。

蛇 年

这一年里,
属猴人将会获得朋友们的大力协助和
其他投资者的支持。
这一年是养精蓄锐的一年,
但要紧闭嘴巴,
防止与任何人冲突。

马 年

尽管属猴人在这一年中会受到一些困扰，

但总的来说，这一年中发展平稳。

如果不加以注意，

或对自己的前景估计过高，

那么将会遇到许多致命的打击，

所以，这一年中应采取保守态度，

一旦发现竞争不过的对手，

及时转向，慢慢积累获得成功的经验。

羊　年

这一年是事务繁杂、工作紧张的一年,
属猴人在这一年能够轻而易举地赚钱,
可是也会有意外开支降低收入。
会遇到许多受益的合作者。
可能身体会有些小病、同家人可能有矛盾,
这一年应诚心诚意地同别人合作,
多为他人提供自己经营的情况,
获得了解和信任。

猴　年

这是属猴人大吉大利的一年。
他们大展宏图，并能获得成就，
预示着将要得到幸福、成名，
将在多方面取得辉煌的进步。
众多的经纪人、
债权人及要求搞大项目的投资者
会使他应接不暇，
因此有可能因过度疲劳而生病。

鸡 年

这是平平常常的一年。
这一年里属猴人应努力竞争,
需要额外的款项来推进自己的计划。
在这一年里,
主要精力用在社会公务上,
很少关心家庭生活。
这一年里不能同对手讲和。

狗 年

属猴人的事业在这一年会不断受阻,

别人失信于他们,

自己在投资经营方面也要连续受损。

因此,

不应向外借款。

也看不到谁是真正的朋友。

懊悔和失望会促使他们总结自己的教训。

猪　年

这一年对属猴人来说是不安的一年，
经济与法律事务的麻烦也会接踵而来。
还会在这一年里染上疾病。
尽管最后会摆脱这些困难，
但不会有大起色。
应谨慎从事，
对最好的朋友也不可听信，
冒险的举动会带来不幸的后果。

属猴人生月趣解

生于正月

个性诚实温和,喜干涉他人,不喜出风头,实事求是,有积极的进取心,事业大多有表现,受到很多朋友的信任,六亲缘分浅薄,幸相欠矣。

生于二月

对人亲切而富同情心,生性乐天好动,事业有一定成就,有机缘成为艺术家,得贤妻,子女孝顺成才。

生于三月

对外表极为讲究,喜欢研究艺术,趋向潮流,可成为现代时装设计师。多是有些个性的人物,人际关系也很佳,有与别人合作能力。不安于家务,生活寂寞。

生于四月

有很旺盛的向上心里,富于创造精神。乐于助人,而又很少向他人求助,是最佳的医务人才,也是社会的慈善家。家庭观念浓厚,夫妻的生活悠然自在。

生于五月

有头脑又聪明，可惜聪明只在读书，而不懂得其他事，走出社会之后不及别人，不易扶摇直上。若能专心于学术，则功成名就。

生于六月

个性不稳定，易受客观环境的影响，感情起伏不定，好激动，性格坦率。其得朋友之助才有发展机缘，家庭幸福。

生于七月

有上代余荫，神气自然。但缺乏冲劲，凡事不竞争，生性较为清闲宁静，有文人雅士风度，颇受大众好评。好独身生活，家庭观念不强，子女不多。

生于八月

有容忍的美德，也有远大的视野，对任何事物都有深入了解的兴趣。夫妻十分和睦。

生于九月

自尊心太强,不满现实而有消极,虽无运大图谋,但一生平稳幸福、快乐。不受外界的物欲所诱,心地善良,应是一个平稳踏实的人,家庭也很幸福。

生于十月

个性好奇,有研究新生事物的兴趣,喜好文艺学术,而不好交际。在平稳的生活领域里,自得其乐,六亲观念不浓。

生于十一月

个性较保守,不善于处理人际事务,只是事后英雄,但有创新的思想,对设计及策划又很有才华。性格矛盾令人难以捉摸,家庭幸福。

生于十二月

生活较无拘束,交友广阔,喜欢参加社会活动,在任何团体中都是中坚分子,乐于助人,有同情心。生活多姿多彩,夫妻出双入对,令人羡慕。

属猴人 生日趣解

生于初一

命带吉祥，男有才干，女有贤妻多能美德，能为众人做事，德才兼备，有官位之景。只恐心实对人过分信任，容易上当。

生于初二

男女占吉格，遇吉则吉，遇凶则凶，凶时吉时应谨慎处之，得逢凶化吉之数，有惊无险，平安之命。

生于初三

男女一生成败皆有，虽财禄丰盈，但转即又与失败相连，一但失败就不轻，这种情况在二步和三步时期最易发生，应防之。

生于初四

男女命在先高后低，早年运盛，财利多见。但晚年有不祥之数，盛时应存留点。盛时亨用，衰时亦无忧也。

生于初五

男女天资聪明，有才能、手腕高，能随机应变，反应灵敏，在事业上有成功之数。

生于初六

男女皆属前半生平平，在坎坷中勉强谋财，后半生幸福。男有好妻，女有好夫，持家

贤能。晚景享福于子女。

生于初七

不可言吉，一生恐有病困苦事多，成就却少，沉浮多见，坎坷多有。虽倾全力以赴，也难成功，时辰若吉有缓解。

生于初八

男女均占上吉，虽有多劳之苦，但成功之时，余利四方，事业高就，命带官印。事业隆昌，一生不用东奔西走，幸福安康之命。

生于初九

头脑灵活，有意志，上进心强，做事有始有终。适合经商，远谋近取，必能宏图大展，名利兴旺，家成业就，显赫门庭。

生于初十

男女皆吉，一生无灾无祸，事业有成，经商顺遂，财利多见。但男女皆是桃花在格，一生风流，开心时有，都属多情之男女。

生于十一

男命小吉祥，事业顺利，家事不静，夫妻有失和之危，有破财之可能；女命风流喜动不喜静，有重嫁之可能。

生于十二

命在吉格，先苦后甜，初显不易，辛苦多劳，三十岁后运开，官显职高，家成业就，女命旺夫，子女双有。

生于十三

先苦后甜，初显不易，辛苦多劳，三十岁后运开，官显职高，家成业就，女命旺夫，子女双有，福气之命。

生于十四

命带大吉，祖荫厚重，父母得力，常得贵人相助，一生命格富贵繁荣发达，有为官掌权之数，一生富有。

生于十五

男女天性温厚善良，为人心实，得人尊敬，虽有坎坷，但如意事多，有功成名就之时。娶妻贤能，借力发达，后福不薄。

生于十六

男女皆占上吉格，聪明过人，处事机智沉着，命带官相，不是久居人下之人，居高官钱财不缺，婚姻称心，家庭美满，平视一生。

生于十七

男女天生灵敏，多才多艺，大钱难挣，小

钱不断，比上不足比下有余，小康人家。男女皆有桃花格，一生开心，快乐之命。

生于十八

男女是一个主吉带凶的格数，前半生虽辛苦但很安稳，钱财不缺，后半生恐要身体欠佳，病魔缠身，生时若吉，晚景还是个吉数。

生于十九

命带上吉，有知识、有才干、有居官位格，但命运多坎坷，时起时落，钱财不缺，家中平安，晚岁吉祥，寿长年高之命。

生于二十

男女皆做事无常，意志爱动摇，职业常换，住所常移，喜好花酒。女人心正，为人刀子嘴豆腐心，持家贤能，一生无亏之命。

生于二十一

男士虽有吉相，但本人喜好安乐，贪酒爱花，胸无大志怕苦怕累；女人吃苦耐劳，上进心强，助夫益子，持家贤能，一生无亏之命。

生于二十二

命带先苦后甜，初显多灾多难，命运多坎坷，操劳辛苦，在中年后，有回转之起色，借妻力发达，家成业就，钱财不缺，晚福之命。

生于二十三

男士人多才多，能近官居非小，一生较辛苦，有财有势，成功名显；女人不如男命，命在操心多劳，持家艰难，劳累之命。

生于二十四

虽有聪明奇才，总归无用武之地，平凡一生。女喜读书，显名高，必是人上人。

生于二十五

男女皆吉，读书有智有力，有不居人下之吉格，大有居官之数，如生时再占吉格，一生将是权重之人、富有之人、寿高之人。

生于二十六

男命精明有头脑，谋取名利大有可为，财益之路福常有，当在中年之后；女命灵秀俊美，为人灵活，作风欠佳，桃花格重，钱财富有。

生于二十七

男命谋略深，能成大事，钱财广聚、花钱无度，存不住钱；女命多劳，持家辛苦，操心费力，中年可开吉运。

生于二十八

男女皆吉，命带官位，天生有领导之才

能，能成大功大业，声高名显，家成业就。女命不如男命，有桃花格，风流一生。

生于二十九

生占佳期，虽一度不顺利，时有灾非，但命占吉格，三十岁后当可运走吉势，精神爽，无病难，家成业就，富贵长寿之命

生于三十

男命上吉，兴家立业，做事败少胜多，钱财富有，但桃花重，喜酒爱色；女命平平，命在多累、持家操心，助夫益子贤妻良母。

属猴人的姻缘

古人认为，寰形相克图（下图）两端直接对应的属相是排斥的。

天　　　　　　　　　　地

和　　　　　　　　　　谐

猴+鼠

两人在一起会极有建树,她是个愉快、能干的管家,他是她引以为荣的、了不起的军师,他们会有好的财运。她能把快乐的猴丈夫安顿得很好,他也赞美她的勤劳节俭。他们不断地发现对方值得称赞的品质,他们的婚姻将是有价值的、美满的。

猴+牛

　　双方都太自私、太倔强，难于怡然相处。他很外向，是个天生的演员，她则是内向、含蓄的人。两人都有很多的优点，但可能没有机会表现出来。他认为她沉闷、没有想象力。她有时很粗心，当指出他的缺点时也不愿委婉其辞。两人需花费很大力气来控制自己的个性。

猴+虎

不是很和谐的结合,两人都不会在家庭中找到多少幸福。两人都是从自己的角度想问题,容易被强烈的成功欲和自尊心所驱使。他行事天生狡猾、乖巧,她在得不到让步时就会发威。双方对任何形式的约束都有些神经过敏,谁也不愿当副手。互相心存疑惑,暗地有所保留。其中一人非要专横地来控制另一个人不可,所以总是有谁胜一筹的较量。

猴+兔

他是个富有积极、创新的思考者和有魄力的实干家,她非常迷人、文雅,尽管有些肤浅。两人在追求他们的目标时都很有策略,不露声色,他需要在被人注意和夸奖中才能保持友好和魅力,她爱安静的环境甚至于活跃的追求。他以争吵为快,她则讨厌见解不合。他们有完全不同的生活方式。他们若要追求幸福的婚姻,双方都必须正视他们的处境,或给予调整或探讨更好的解决方法。

猴+龙

最好的配合之一。因他们能协调双方的积极力量,取得长久一致和共同成功。两人都思路清晰、很有上进心。他更实际、机智,她的意志力和能量对两人都有帮助。他作计划时,她帮他每次都把目标放得很高。他爱挑战,她则站在他一边给他有力地响应和支持。两人互相迎合、互相商量,和谐一致的工作。

猴+蛇

两人都倾向把反对派的毛病夸大。他可爱、开朗、能干，而她好胜、老于世故。他们总的立场是相同的、但仍不免互相非难，有时还互相敌对，因为他们天生有嫉妒和多疑的性格，双方都要更加坦诚、直率才能感到相处的舒适。

猴+马

　　两人都多才多艺、灵活、开朗。他们都是独立的、实际的人,有同样强的能力和敏捷,但心中愿意时合作很好。他们能否在友善的气氛中共同生活取决于他们如何控制以自我为中心的个性。

猴+羊

　　两个人的结合没有相同之处。她爱做家务事，但可能对他命令太多。他对她给自己的照料很得意，但仍然觉得她的优点抵不过缺陷。他长于算计、圆滑，常利用她善良、慷慨的性格，他并不总是对她当真，她忍受着这场交易中吃的亏。

猴+猴

　　假若嫉妒不来妨碍的话是很牢固地结合，如果他们能以"我们"而不是"我"的方式想问题，他们的关系要密切得多。若他们真以合作的精神出发来面对现实，则不会出现什么问题。如果能学会把好处和坏处放在一起看，就能超脱狭隘和猜忌。如果他们在逆境中愿意相守并且不互相埋怨就可以很和谐的生活。

猴+鸡

双方都有雄心,渴望得到肯定和承认。他以自己聪明的天赋自傲。她办事效率很高,过分讲究。她常在一边窥看他,挑他的毛病。他们考验着彼此的耐心和容忍。他受不了她的好问、爱争辩。她觉得他太自私,自鸣得意,不太注意她,更不要说取悦她了。如果两人始终保持伪装,以他们同样务实、强悍的性格,则冲突多于合作。两人都会觉得他们的结合有些草率,除非他们决心承认一些自身的短处互相达成协议。

猴+狗

是很好的婚姻,两个成员间彼此给予好评。他聪明、会交际。他比她更实际,更有雄心,见她不打算赶上和超过他的成绩他就很高兴。他发觉她是个有力的、谦和可取的盟友和顾问。当他表现出真心希望合作时,她会很协助、配合。她爱他的才智,被他的多面性迷住,但对他的嫉妒、不动声色的特点抱悲观看法。他会觉得她公正、向上的作风有些拘谨。除此之外,两人都足够明智,能作出必要的让步。

猴+猪

这种结合对两人都有很强的吸引力,但在婚后平凡的生活考验中,这种吸引力会被磨损掉,猪太太精力过盛,咄咄逼人,对丈夫和自己的目标坚定不移。不过,她更多的是盲目的忠诚,因而猴先生从她朴实性格中获益的欲望并不会保持多久。她得益于他的理财本领,但不欣赏他碰运气的方式。想忍受对方的弱点,双方要做出非同一般的努力才行。

鼠+猴

非常相和。他迷恋她的灵巧与娇媚,她钦佩他的能干和进取心。他们都有成功意识,将互相扶持,把对方推上成功的阶梯。他们都不是神经过敏的人,能够理解对方的不足。他们可以共同工作,也可以各做各的而互不干扰,他们能够消除双方关系中的任何裂痕。

你我她

牛+猴

他们都很自信，都知道自己想要的是什么，但并没有想对方之所想。他朴实、稳重、认真、注重实际，她妩媚、自私、擅长社交、多才多艺、独立不羁。他们都向往着获得成功和金钱，但对于获得成功的途径、花钱的方式等问题看法却截然不同。当他的安排受到她的轻蔑对待或当他得不到她的尊重和赞许时，他会变得专横无礼。如果他想炫耀自己的权威，她会以当面嘲笑的方式激怒他。两人做不到服从对方。

虎+猴

　　虽然他们都是善于交际、充满活力和友好善良的，却像生活在两个不同的世界里。他只有在处于主导位置时才是勤奋有力的，如果她也要任主角，他就会感到困惑甚至非常怨恨。神经质的他厌恶竞争性强的她，因为她太有才智、太自信，根本不怕他的恫吓。他们都大手大脚地花钱，但在理财方面她要更加精明慎重。他们的关系是不稳定的，他们都镇定，都想压倒对方，结果谁也得不到好处。

兔+猴

两人相处经常会产生某种敌意。她活跃、自满,常因自己的才智而骄傲,他痛恨他的深思熟虑和精心盘算。他们都能将对方看透,当他们互相注视时,都看不出对方有什么可使自己着迷的地方。这两种性格实际上是无法共处的,除非在这种关系中能有利可图。

龙+猴

　　浪漫、理想的婚配。他被她的魅力所吸引，她赞赏他的领导才干。他们都十分热情，是高于平常水平的行动者。他们在一起能够相互辉映，两个人将一同去进行新的探索。他们都倾心于社交活动，很可能建立一个美好的家庭，能在家中款待很多朋友。

蛇+猴

不能和睦相处。两人间常有意志和智力的较量。他们都工于心计,竞争性强,她很容易激得他发火,他则怀恨在心,一定要寻机报复。她善于投机,感情迟钝,常常向他挑战。而他劲头十足、随心所欲。他们将以激烈的斗争来决定谁占上风。他们谁也不能从这样的婚姻中获得好处。

马+猴

　　他们都有不凡的智力和适应能力,能够克服阻挡他们前进的各种困难。但他们太相似了,容易产生相互的不敬。譬如,他实际,很能把握机会,她也同样会见机行事;她多才多艺,机敏灵巧,他则同样的精明善变并会因此而激怒她。她天性乐观,追求享受,他自信多谋,能使别人服从于他。他俩也很可能因互不相让而关系破裂。

羊+猴

彼此间无长久的吸引力。他认为她性格太复杂且自私自利。他的兴趣和活动比较压抑,她的机智会使他烦乱不安。无论他脾气多好和多么善意,他也无法接受她那些轻率的要求。她聪明、动人,一旦发现了他的弱点就会牵着他走。他有创造性头脑又单纯、有同情心,但这些特点得不到她的赞许,因为她喜欢心中有数的人。

鸡+猴

他们的结合最有可能造成相互间的冷漠与隔阂,除非双方都能改变自己的习性,以适应对方。在这对夫妻中,妻子有极强的占有欲,她想要的东西一定要抓到手,一旦得到便不再放弃,而且从不考虑别人怎么想;而丈夫又过于严厉,以至让她的愿望常常落空。此外,她对他奸巧而吝啬的手段常常恼怒,他们各自都以错误的方式触怒对方。只有当他们表现出使对方难以抵抗的诱惑时,才能相互融洽。

你我她

狗+猴

　　如果两人都宽宏大量，不计较对方的弱点、瑕疵，他们的结合会变得可行并十分有把握。妻子比别人更了解聪明的价值，赞赏丈夫那种孜孜以求的钻研精神及严谨的思维方式。他佩服她能干、有上进心，并欣赏她机敏、幽默和逗人喜爱的天性。两个人里，妻子显得更唯物，注重金钱财富，而丈夫则更重名誉。走中间道路，将能满足他们共同愿望。

猪+猴

这种结合夫妻相敬如宾,但缺少温情,彼此不可能被对方真实个性所吸引。丈夫与头脑复杂的妻子相比过于简单、拘泥。妻子性格泼辣,而丈夫显得太温和。当妻子以迂回的方式崭露风韵时,那过分掩饰和自命不凡的本性在丈夫面前暴露无遗,他则会被这种低能的表现搞得烦躁不安,感情受到伤害。如果他们能彼此理解,沟通思想,互补长短,这样的婚姻仍然是能成功的。

平安一生

吉祥四季

春夏秋冬

【生于春】吉祥方位：西方、西北方
吉祥颜色：白色、灰色、黄色
吉祥饰品：铜锣、金丝眼镜、金表
吉祥密码：酉、申、巳、丑、庚、辛
吉祥行业：从事与"金"相关的行业

【生于夏】吉祥方位：北方、东北方
吉祥颜色：蓝色、黑色、白色
吉祥饰品：孔子铜像、金链、蓝田玉、金笔
吉祥密码：子、丑、申、辰、亥
吉祥行业：从事与"水"相关的行业

【生于秋】吉祥方位：东方、东南方
吉祥颜色：绿色、黑色
吉祥饰品：木鱼、木佛珠、绿宝石、灵芝、竹
　　　　　板平安、人参王
吉祥密码：甲、乙、寅、卯、亥
吉祥行业：从事与"木"相关的行业

【生于冬】吉祥方位：南方、西南方
吉祥颜色：红色、紫色、黄色
吉祥饰品：红木用品、打火机、太阳画、牡丹
　　　　　花、玩具猫、骏马图
吉祥密码：午、寅、戌、巳、未
吉祥行业：从事与"火"相关的行业